D1407674

Emma n'aime pas partager

Conception graphique du roman : Audrey Thierry.

Hachette Livre, 43, quai de Grenelle 75015 Paris.

Emma n'aime pas partager

Raconté par Katherine Quénot

hachette
JEUNESSE

On ne s'ennuie jamais

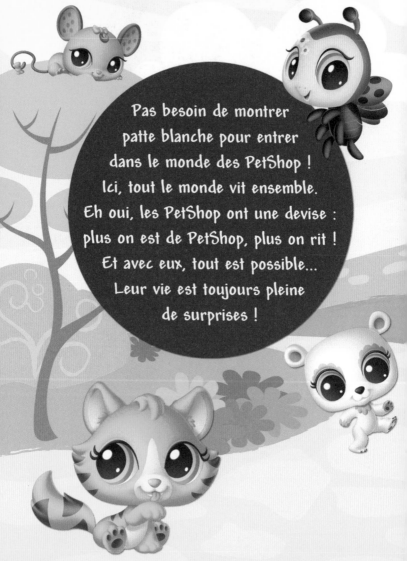

Pas besoin de montrer
patte blanche pour entrer
dans le monde des PetShop !
Ici, tout le monde vit ensemble.
Eh oui, les PetShop ont une devise :
plus on est de PetShop, plus on rit !
Et avec eux, tout est possible...
Leur vie est toujours pleine
de surprises !

avec les PetShop !

Les histoires racontées dans ce livre ont été traduites du langage des PetShop

Les héros des histoires

Emma, la tigresse

Emma n'a
qu'un problème dans la
vie : elle n'est pas partageuse.
Mais la PetShop au pelage orange
rayé de noir sait pourquoi : elle est
une tigresse ! Tout le monde sait – ou
devrait savoir – que les tigres sont des
êtres solitaires. Bien sûr, Emma est plus
PetShop que tigre mais quand même, les
ancêtres, ça compte ! Or, Emma a lu sur
internet que les siens n'aimaient pas
partager leur territoire ni leur repas.
C'est comme ça ! Elle n'y peut rien,
c'est héréditaire...

Émilie, a papillonne

Un jeune couple de PetShop dynamiques, Émilie, une papillonne, et David, un chat, partent en vacances. David est directeur d'une fabrique de confitures et Émilie d'une fabrique de confettis. Ce sont des vacances bien méritées, car tous deux ont beaucoup travaillé cette année. Pourtant, David a de petites inquiétudes. Il se demande si Émilie arrivera à se reposer. Sa papillonne est tout le temps en train de voleter, elle est incapable de se poser !

Tous les jours, Nathan se mesure pour savoir s'il n'a pas grandi. Hélas, il n'y a aucune chance, puisqu'il a déjà atteint sa taille adulte ! Évidemment, il y a des PetShop adolescents qui ont encore moins de chance que lui, par exemple ceux qui, en plus d'être petits, prennent du poids facilement, portent des lunettes et ont des boutons. Lui, au moins, il est un hamster agile de corps et d'esprit. Mais, allez dire ça aux filles : elles ne tombent pas amoureuses de lui pour autant !

Nathan, le hamster

Emma

Aujourd'hui, Emma la tigresse est sortie de son lit d'un bond. Elle part faire un stage d'improvisation dans un gîte rural avec Marine, la gentille chienne labrador qui dirige un cours de théâtre. Une semaine entière de théâtre, ça va être génial !

La jeune tigresse est en train de mettre ses valises, ses caisses de nourriture et ses packs de jus de fruits dans le coffre de son gros break, quand son téléphone portable sonne. C'est Marine…

Emma hésite un peu avant de répondre. Elle a un mauvais pressentiment… Tout le monde était d'accord pour partir dans la même voiture afin de polluer le moins possible la planète et de faire des économies de carburant, sauf elle. L'idée de partager sa voiture ou d'être dans une voiture qui ne lui appartient pas lui donne des boutons. Après tout, c'est son droit, non ?

— Salut Marine ! dit-elle en décrochant. Alors, vous partez ?

— Salut Emma. Oui… c'est-à-dire non, en fait on a un petit souci… On va être un peu serrés dans la voiture. Tu ne pourrais pas prendre un PetShop ou deux avec toi, par hasard ?

La tigresse en a les rayures qui tremblent :

—Heu, c'est-à-dire… Tu m'excuseras, mais je préfère voyager seule, je te l'ai dit. Le trajet n'est pas long, Sylvie peut se mettre sur les genoux d'Olive. Une grenouille, ça se case n'importe où ! Et un limaçon, ce n'est pas bien gros non plus.

— Oui, c'est vrai, murmure Marine, un peu étonnée. OK, on va se débrouiller, on se retrouve au gîte. Bonne route !

Emma raccroche, soulagée. Si elle s'est payé une grande voiture, c'est qu'elle a économisé. Les autres n'avaient qu'à en faire autant !

Une heure plus tard, la tigresse parvient au gîte rural qui se trouve dans un joli village typique de la campagne petShopienne. Sanda, une araignée bien dodue en bottes de caoutchouc, l'accueille en lui annonçant qu'elle est la première arrivée.

— Comme ça tu pourras choisir ta place préférée dans le dortoir, lui dit-elle en la précédant dans le gîte.

Emma sursaute comme si une mouche l'avait piquée.

— Le dortoir ?

— Oui, dit Sanda. Pourquoi ? Tu pensais qu'il y avait des chambres ?

— Eh bien… oui ! gémit la tigresse. Ne me dis pas qu'il n'y en a aucune. Je veux bien payer un supplément !

Mais non, il n'y a aucune chambre, à part celle de l'araignée qui refuse de la louer à Emma, même pour mille euroshops. Après avoir enlevé ses bottes en demandant à Emma d'en faire autant, elle lui fait visiter le dortoir – une immense grange où les lits ne sont séparés que par des armoires –, puis les sanitaires où s'alignent des rangées de lavabos et de douches.

— La cuisine est au fond du couloir, indique l'araignée en remettant ses huit bottes. Et la salle de spectacle se trouve au sous-sol. Tu feras visiter à tes amis ? Excuse-moi de te laisser, j'ai une toile à finir…

Une fois seule, Emma reste au milieu de l'immense dortoir, inca-pable de bouger. Elle se demande si elle ne va pas prendre ses pattes à son cou et repartir chez elle… Trop tard ! Elle entend un bruit de voiture : ses camarades arrivent ! En moins de temps qu'il n'en faut pour le dire, la tigresse court jusqu'au lit le plus éloigné au fond du dortoir et pose son sac à main dessus. Voilà, réservé !

Et soudain la PetShop a une idée… Prise d'une agitation frénétique, elle se met alors à pousser une armoire, puis une autre, une autre encore. En quelques instants, son lit est entouré d'une véritable muraille. C'est tout juste si la tigresse ne donne pas en plus des coups de griffe dans les armoires pour marquer son territoire, comme le faisaient ses ancêtres sur les écorces des arbres ! Marine et les six autres PetShop du groupe de théâtre entrent dans le dortoir à cet instant…

En apercevant le château fort d'armoires, Marine pousse un bref aboiement, Sylvie lance un « coa » étonné, Béatrice un bêlement ahuri, Hercule un « hi han » désapprobateur, Jonathan un petit couinement et Olive un cri qui ressemble à un grincement de porte. Quant à Rémi le limaçon, il ne dit rien, mais il n'en pense pas moins.

— Emma ? appelle Marine.

— Je suis là ! répond la tigresse en sortant de l'espace très étroit qu'elle a laissé entre les armoires. Je suis déjà installée.

Marine éclate d'un grand rire

communicatif.

— Je vois ça, dit-elle en remuant la queue gaiement. Tu t'es fait ton petit coin ?

La chienne labrador avait déjà senti qu'Emma était très personnelle, mais jusque-là ça n'avait pas posé de problème, parce que la tigresse est une bonne partenaire sur scène. Mais en une semaine avec une PetShop aussi peu partageuse, il risque d'y avoir de petits soucis...

— Les tigres ont besoin d'avoir leur territoire, c'est comme ça, réplique Emma. J'espère que ça ne vous dérange pas ! Bon, je vais chercher mes valises dans la voiture…

Dès que la tigresse a bondi hors du dortoir, les langues vont bon train. Sylvie la grenouille et Rémi le limaçon n'ont pas vraiment apprécié de faire le voyage sur les genoux d'Hercule, l'âne, et de Béatrice, la brebis. Quant à Jonathan le lapin et Olive l'écureuil, ils étaient vraiment serrés comme des sardines.

— Ça suffit, coupe Marine. Chacun ses petites manies. Emma a le droit de vivre comme elle veut. Je n'apprécierais vraiment pas que vous la critiquiez dans son dos, c'est entendu ?

Les PetShop acquiescent d'un hochement de tête. Ils respectent tous Marine qui est la PetShop la plus adorable de la terre.

Puis, chacun range ses vêtements dans les armoires du dortoir et ses provisions dans les placards de la cuisine. Emma a apporté un nombre impressionnant de bocaux de NutelShop… « Est-ce pour en offrir aux autres ? » se demande Marine qui, avec son bon cœur de labrador, a tendance à croire aux miracles. Elle interrompt brusquement ses pensées en voyant la tigresse se mettre à sauter…

— Mais que fais-tu ? demande Marine, stupéfaite.

Emma est en train de battre des records de saut en hauteur pour placer ses bocaux de NutelShop au-dessus des placards.

— Je ne veux pas qu'on touche à mon NutelShop, c'est perso ces choses-là !

— Mais personne n'y toucherait sans te demander !

— Je n'ai pas envie non plus qu'on me demande.

Après réflexion, Emma décide de mettre l'ensemble de ses provisions au-dessus des placards, hors de portée des autres PetShop. Comme Marine leur fait les gros yeux, personne ne se permet de faire à la tigresse la moindre remarque, mais la chienne labrador sent que la tension monte. Il faut absolument qu'elle fasse quelque chose…

— Vous avez fini de ranger ? Bon. On va commencer l'atelier après le déjeuner, mais que diriez-vous de manger tous ensemble pour notre premier repas ? Chacun met ce qu'il veut sur la table…

Tous les PetShop sont d'accord. Même Emma ne proteste pas, au grand soulagement de Marine. En quelques instants, la table est recouverte de mets divers et variés. Chacun glisse un regard en coin vers la tigresse qui n'a encore rien déposé à manger… Mais la voilà qui bondit vers sa provision de NutelShop, attrape un pot et le dépose sur la table.

— Ah, je vois que nous avons un dessert ! s'écrie Marine, toute contente.

— Heu, répond Emma. Désolée, mais c'est mon repas. Je ne mange que du NutelShop avec du pain, ajoute-t-elle en sautant à nouveau pour attraper un sac de petits pains en haut du placard.

Cette fois-ci, Marine ne peut empêcher les autres PetShop de faire quelques commentaires ironiques.

— Ce n'est pas très équilibré comme régime ! commence Sylvie.

— Un vrai régime de bananes, dit Rémi.

— Attention de ne pas grossir des rayures ! continue Jonathan.

— Tu ne connais pas le slogan ? plaisante Hercule. Le NutelShop, c'est pour les potes !

— Bon appétit ! aboie Marine en coupant court aux mauvaises plaisanteries.

Tandis que tous les PetShop partagent joyeusement leurs victuailles, la tigresse mange son pot de NutelShop toute seule jusqu'à la dernière cuillerée. Marine est à peu près sûre qu'elle aurait très envie de goûter à la nourriture des autres PetShop, mais il lui faudrait partager la sienne et elle n'arrive vraiment pas à s'y résoudre… En fait, Marine est triste pour Emma. Elle doit être si malheureuse de ne pas réussir à partager !

Le repas fini, tous les PetShop font la vaisselle ensemble… sauf Emma. Comme elle n'a sali qu'une petite cuillère, elle ne lave que sa petite cuillère !

En voyant les autres PetShop vraiment agacés, Marine essaie d'intervenir :

— Emma, tu ne veux pas balayer ? lui demande-t-elle en agitant la queue gaiement. On commence-rait plus vite la séance…

Échec total ! La tigresse secoue la tête :

— Tu m'excuseras, j'ai envie de profiter des sanitaires pendant que je suis seule. Je me lave les crocs et je vous rejoins en bas dans cinq minutes ! Tu ne m'en veux pas ?

— Mais non, bien sûr, dit Marine, la gorge serrée. À tout de suite.

Une fois la tigresse sortie, un

lourd silence tombe dans la cuisine. Ce silence est peut-être encore plus inquiétant que si tout le monde faisait des plaisanteries. La seule chose que la chienne labrador espère maintenant, c'est que l'atelier de théâtre va détendre l'atmosphère… Seulement, il va falloir qu'elle choisisse bien les exercices ! Elle avait d'abord pensé proposer un jeu où chacun doit dire méchamment des choses gentilles et gentiment des choses méchantes, mais il vaut mieux oublier !

Peu après, tout le groupe est réuni dans la salle de spectacle au sous-sol. Emma arrive, souriante et détendue. Ce n'est pas le cas des autres PetShop qui grincent un peu des dents !

— Tu t'es bien lavé les crocs ? lui lance Hercule avec un hi-han ironique.

— Oui ! Pourquoi ? répond Emma sans comprendre.

Marine lève la patte pour arrêter tout de suite l'échange verbal :

— Allez, on se met en cercle. Je vous propose le jeu des professions. Chacun votre tour, vous pointez du doigt l'un de vos camarades en lui attribuant une profession imaginaire comme « gratteur de lapin ». Le « gratteur de lapin » lance à son tour un métier délirant à quelqu'un d'autre, comme « briseur d'autobus ». Et ainsi de suite. C'est parti !

— Compteur d'oreilles ! lance

la grenouille au lapin.

— Chatouilleuse de nuage !
lance le lapin à la brebis.

— Marin d'eau de terre ! lance
la brebis à l'âne.

— Gardeuse de pots de Nutel-
Shop ! s'écrie l'âne en désignant
Emma.

Tous les PetShop, sauf Emma et
Marine, éclatent de rire. Marine
foudroie Hercule du regard. La
tigresse est devenue toute rouge,
rayures comprises.

— On reprend ! décide Marine en roulant des yeux mécontents. Tricoteur de fils électriques ! lance-t-elle au lapin.

— Maquilleuse d'arbres ! lance le lapin à l'écureuil.

— Salisseur de savons ! lance l'écureuil à l'âne.

— Laveuse de petite cuillère ! lance l'âne à Emma.

Il y a un grand silence puis, une nouvelle fois, tous les PetShop pouffent de rire. La tigresse baisse la tête en regardant ses pattes.

—On change d'exercice ! décide la chienne labrador en se mordant nerveusement les babines. Nous allons créer une histoire tous ensemble à partir de personnages que vous allez inventer. Emma commencera. Elle jouera le rôle d'une petite fille PetShop et se dirigera vers Hercule en lui donnant le rôle qu'elle veut, celui de son père, par exemple. Hercule répondra à Emma, puis il se dirigera vers quelqu'un d'autre en lui donnant un nouveau rôle. Compris ?

— Compris, répondent tous les PetShop en chœur.

Seule, Emma ne dit rien. Elle continue de baisser la tête.

— Emma, c'est à toi ! l'encourage gentiment Marine.

Au prix d'un grand effort, la tigresse relève la tête. Elle était à deux doigts de partir. Elle voit bien que tout le monde se moque d'elle !

— Papa, commence-t-elle en allant vers Hercule, j'ai perdu les clefs de la maison...

— C'est terrible ! s'exclame l'âne. Je n'ai pas les clefs non plus.

Il se dirige alors vers Rémi :

— Monsieur Dubois, mon cher voisin, j'ai besoin de vous. Avez-vous toujours le double de mes clefs ?

—Excusez-moi, répond le limaçon. Comme je partais en vacances, je les ai données à l'épicière, Mme Martin. Madame Martin, avez-vous toujours les clefs de M. Dupont ? demande-t-il en se dirigeant vers la brebis.

—Je les ai, répond Béatrice. Venez donc chez moi les chercher, monsieur Dubois. Et puisque vous êtes si sympathiques, je vous invite tous à boire le thé. Et aussi à déguster de délicieuses tartines de NutelShop ! ajoute-t-elle avec un large sourire. Oh zut, improvise-t-elle soudain, j'oubliais qu'une PetShop a acheté tout mon stock pour elle toute seule !

—Mais qui est-ce donc ? enchaîne Hercule d'un air innocent.

Le jeu s'arrête là. Car brusquement, la tigresse pousse un miaulement à fendre l'âme et, en quelques bonds, elle quitte la salle pour cacher ses larmes.

— Emma ! appelle Marine. Reviens !

Mais la tigresse ne revient pas. Marine regarde ses élèves en relevant les babines d'un air mécontent :

— C'est à ça que vous sert le théâtre ? À régler vos comptes ? Vous trouvez peut-être que six contre un, c'est un compte juste ?

Sortant de la pièce, elle trotte en vitesse jusqu'au dortoir. Il faut espérer qu'Emma ne s'est pas enfuie dans la campagne. Elle n'aurait aucune chance de rattraper une tigresse à la course !

Mais dès qu'elle entre dans le dortoir, Marine entend le bruit de ses sanglots. Elle s'approche du lit d'Emma et, doucement, toque de petits coups contre l'une des armoires de sa forteresse.

— Emma, c'est moi, je peux entrer ?

— Je fais mes valises ! lance la tigresse en reniflant.

— Attends ! Ça va s'arranger. Je suis sûre qu'ils regrettent leur comportement...

— Ça m'étonnerait ! répond Emma en pleurant de plus belle.

Patiemment, Marine continue à parler avec la tigresse en essayant de la calmer. Enfin Emma sort, mais avec ses valises...

— Emma, tu ne vas pas partir ? glapit Marine.

— Si. Ça ne sert à rien, dit la

tigresse en secouant la tête. Je ne suis pas faite pour le groupe. Je comprends leur réaction, mais je n'y peux rien. Je ne supporte pas de partager. Tous les tigres sont comme ça, ajoute-t-elle tristement.

C'est alors que la porte du dortoir s'ouvre et tous les autres PetShop entrent sur la pointe des pattes. Emma et Marine écarquillent les yeux en les voyant. Leurs camarades se sont confectionné des bonnets d'âne et se les sont mis sur la tête ! Même Hercule, l'âne !

Ils sont si comiques que Marine éclate de son grand rire communicatif. Tout doucement, Emma commence à sourire.

— J'ai vraiment fait l'âne ! dit

l'âne. Je suis désolé.

Les PetShop n'ont pas les pattes vides. Chacun d'eux porte un petit cadeau. En se dandinant, ils se mettent tous en file indienne et, l'un après l'autre, ils avancent jusqu'à Emma. Là, ils retirent leur chapeau pour la saluer, puis lui offrent de petits cadeaux :

« Pour nous faire pardonner ! »

Bientôt, Emma tient entre ses pattes des poèmes, des bouquets de fleurs et des dessins.

— Tu en as plein les pattes, on dirait ! s'esclaffe Marine. Tu veux de l'aide ?

— Je veux bien, répond Emma en souriant. Écoutez, dit-elle à ses camarades, je vous remercie et à mon tour je vous demande de me pardonner. C'est moi qui mériterais un bonnet d'âne !

— T'inquiète, répond Olive en ouvrant son sac à dos, on en a aussi fait pour toi et… pour notre prof de théâtre préférée !

Dans l'amusement général, la chienne et la tigresse mettent à leur tour leur bonnet d'âne sur la tête.

—Je vous assure, reprend Emma en redevenant triste, j'aimerais bien être autrement, mais je n'y arrive pas ! Vous savez ce qui me ferait plaisir ?

— Coa donc ? demande la grenouille.

— De vous inviter à déguster

tous mes pots de NutelShop. Je ne veux plus les voir !

Marine fait un petit clin d'œil à la tigresse :

— Alors si ça ce n'est pas de la générosité, moi je suis la reine d'Angleterre !

Pendant le goûter, tous les PetShop gardent leur bonnet d'âne sur la tête et finalement, le reste du stage se déroule sur le thème du partage. Marine invente pour la jeune tigresse un exercice de débutant : donner avec sa patte droite un cadeau à sa patte gauche et inversement. Au début, Emma a du mal car ses pattes n'ont pas l'habitude de donner mais, à la fin du stage, elle y arrive très bien. Et vous savez quoi ? Depuis qu'elle est rentrée de son séjour, elle remet son bonnet d'âne chaque fois qu'elle n'a pas envie de partager, et ça marche !

2

Émilie

Son bloc-notes à l'aile, Émilie suçote le bout de son stylo. La papillonne est en train de chercher des idées, mais rien ne vient. D'habitude, elle n'a même pas besoin de chercher, elle trouve ! C'est normal, du matin au soir, elle ne pense qu'à une chose : les confettis. Créer de nouvelles lignes de couleur de confettis, de nouvelles formes de confettis, inventer de nouveaux objets en confettis, de nouveaux vêtements en confettis, comme sa robe de mariée en confettis blancs, son plus grand succès. Dernièrement, elle a même lancé sur le marché ses fameux confettis-bonbons qui fondent dans la bouche !

— Tu as peut-être besoin de vacances, lui dit un soir David, son fiancé, qui est directeur d'une fabrique de confitures. Moi aussi, je suis surmené. La confiture, j'en ai plein la tartine. Que dirais-tu d'aller faire du camping ?

Émilie papillonne des yeux :

— Du camping ? Quelle drôle d'idée !

— Je pense que c'est le meilleur moyen de décompresser. Ça nous fera du bien d'être dans la nature !

— Bon, si tu le miaules, je te crois, répond Émilie à son chat préféré.

Après en avoir beaucoup discuté, les deux PetShop se décident pour un camping au bord d'un lac dans la région des châteaux du Loir.

Sans perdre une seconde, Émilie se lance dans l'organisation du départ. Il y a beaucoup de choses à prévoir et, pour ne rien oublier, elle fait des listes. Il y en a plusieurs : la liste des affaires de camping, la liste des vêtements, la liste des accessoires de survie – téléphone portable, ordinateur et agenda – et un guide de voyage, bien entendu ! Pendant deux jours, Émilie volette sans se poser une seconde, jusqu'à ce qu'elle ait coché tous les objets de sa liste. Le pauvre David est tout simplement exténué. Et ce n'est pas encore fini, car avant de partir Émilie veut étudier à fond le guide des châteaux du Loir !

— Mais enfin, miaule-t-il, on verra ça sur place, on aura tout le temps !

— Si on ne prépare pas tout,

répond la papillonne en fronçant les antennes, tu vas arriver au camping et tu ne voudras pas bouger de ta chaise longue !

— Et alors, les vacances, c'est pas fait pour ça ? rétorque David.

— Tu ne vas pas me dire que les vacances, c'est fait pour s'ennuyer !

— Moi ça ne m'ennuie pas de rester au soleil à me dorer comme un gros chat que je suis !

Émilie balaie l'argument du revers de l'aile :

— Au bout d'une journée, tu en aurais marre. Non, il vaut mieux mettre au point un programme… Deux châteaux par jour, ça te va ?

David renonce à discuter. Il espère qu'Émilie se calmera toute seule, une fois en vacances, loin du stress de sa vie habituelle.

Enfin, la voiture est chargée – ou plutôt surchargée – et, le matin de bonne heure, les deux PetShop se mettent en route. Le chat et la papillonne étaient convenus de conduire à tour de rôle, mais comme Émilie passe son temps au téléphone pour son travail, David préfère prendre le volant.

— Tu ne leur as pas dit que tu étais en vacances ? ronchonne-t-il.

— Je ne suis pas encore en vacances ! Je serai en vacances au terrain de camping. Et justement, je règle les problèmes avant…

— J'espère, miaule le chat en soupirant.

En milieu de matinée – et quelques dizaines de coups de fil plus tard –, les deux PetShop arrivent au camping. Ils sont ravis ! Ils ont un emplacement juste devant le lac. David aurait bien envie d'aller se baigner tout de suite, mais il connaît son Émilie. Elle lui cassera les pattes tant que la tente ne sera pas installée, les matelas pneumatiques gonflés, et les affaires rangées…

Une heure plus tard, leur campement est prêt. Poussant un grand soupir de soulagement, David installe la chaise longue en plein soleil et se love dedans en ronronnant de satisfaction.

— Maintenant, s'écrie-t-il joyeusement, terminé ! Je ne fais plus rien ! Et d'ailleurs, ajoute-t-il en joignant le geste à la parole, j'éteins mon téléphone portable.

Émilie en bat des ailes d'étonnement :

— Mais enfin, et si ton boulot t'appelle ?

— Je suis en vacances !

— Et si c'est important ?

— Rien n'est plus important que les vacances !

Émilie secoue les antennes. Elle n'est pas d'accord. Le travail, c'est absolument sacré !

— Allez, allonge-toi avec moi sur une chaise longue ! l'encourage le chat.

Émilie consulte sa montre :

— Tu as vu l'heure ? Il est déjà midi. Il faut que je prépare à manger !

David tire doucement sa papillonne vers lui par l'aile et l'assoit sur ses genoux.

— Viens par ici, petite choupinette ! Pose-toi deux secondes. Tu sais quoi ? Je t'invite au restaurant.

Émilie se relève d'un coup d'aile.

— Mais non, j'ai tout prévu pour faire une salade. On ira au restaurant demain !

Haussant les épaules, David abandonne encore la discussion. Il replie ses pattes sous lui, se met en rond et décide de piquer un petit roupillon. Hélas, pas facile de se reposer quand quelqu'un travaille à côté ! À chaque instant, des bruits de vaisselle le font sursauter, quand ce ne sont pas les touches du téléphone portable d'Émilie qui envoie un message. Mais le comble c'est quand elle reçoit un coup de téléphone et là, elle lui offre une sieste en fanfare ! Car la papillonne n'arrête pas de préparer le repas pour autant : son téléphone coincé sous une aile, elle manie l'éplucheur de l'autre ! Le pauvre David a droit à tous les détails de l'opération de lancement des cerfs-volants confettis qui sortent pour l'été… Et quand enfin la conversation s'arrête et que David pousse un miaulement de soulagement, Émilie lui lance :

— À table, mon chéri, c'est prêt !

Se relevant avec peine de sa chaise longue, David se laisse tomber sur un pliant devant la table. Il essaie à tout prix de prendre les choses du bon côté. Émilie est une excellente cuisinière et sa salade de jeunes pousses d'épinard à l'ananas et à la coriandre est délicieuse. De toute façon, sa papillonne est parfaite pour tout… sauf pour les vacances, peut-être !

— Ma chérie, dit-il en souriant de toutes ses moustaches, que dirais-tu d'aller nous baigner aujourd'hui, histoire de bien nous reposer avant de commencer la visite des châteaux d'une patte alerte et d'une aile légère ?

— Heu, dit distraitement Émilie tout en consultant son téléphone… Ah, bonne nouvelle ! s'écrie-t-elle en battant des ailes. Tout le stock de cerfs-volants confettis est déjà épuisé !

— Bravo, répond David, tu es géniale.

Mais Émilie baisse les antennes :

— *J'étais* géniale ! Je n'ai plus aucune idée depuis plusieurs jours…

Le chat rit :

— Mais enfin, c'est normal, il faut se reposer de temps en temps, tu es saturée ! Suis mon conseil : oublie ton travail pendant plusieurs jours et tu verras que les idées reviendront toutes seules.

La papillonne sourit :

— Peut-être que tu as raison. Allez ! dit-elle dans un élan de courage. J'éteins mon portable !

— Bravo, miaule David.

Après avoir déjeuné, les deux PetShop se mettent en maillot de bain, prennent leurs serviettes et gagnent la plage aménagée au bord du lac. Ils ont déjà étalé leurs serviettes sur le sable quand Émilie a un remords :

— Je vais quand même aller chercher quelque chose à lire, dit-elle en partant d'un coup d'aile.

Quand la papillonne revient, David a les oreilles qui se dressent sur la tête : elle a pris avec elle son gros dossier sur les confettis !

— Émilie, tu m'avais promis !

— Je t'ai promis de ne plus utiliser mon téléphone, c'est tout ! Je ne l'ouvrirai peut-être pas, ajoute-t-elle avec un grand sourire, c'est juste au cas où… On va se baigner ?

Pendant un moment, David se détend enfin. Les deux PetShop s'amusent beaucoup à plonger et à s'asperger. Émilie adore se percher sur la tête de son chat pour piquer une aile dans l'eau ! Puis, tous deux s'amusent à rivaliser à la course et, bien qu'Émilie nage très bien avec ses deux ailes, David l'emporte haut la patte !

— Ouf, dit-il, je crois que je vais aller m'étaler au soleil maintenant !

— Je te rejoins, je fais quelques longueurs…

Une fois sur sa serviette, David s'endort en ronronnant. Quand il relève la tête une heure plus tard, Émilie est toujours en train de faire des longueurs ! Enfin, la papillonne sort de l'eau… Mais à peine s'est-elle essuyé les ailes qu'elle prend son dossier sur les confettis…

— Tu ne peux pas t'arrêter une

minute ? lui demande le chat, stupéfait.

— Si, une minute, je peux ! répond Émilie.

Pour le prouver, la papillonne reste sans bouger pendant une minute ! Les deux PetShop se mettent à rire, mais cela n'empêche pas Émilie de reprendre son dossier aussitôt après.

Le lendemain matin, dès sept heures, la papillonne est sur le pied de guerre. Pour réussir à faire lever son chat, elle lui apporte son petit déjeuner au lit, ce qui est mignon, mais l'aurait été beaucoup plus après une grasse matinée !

— C'est mieux d'arriver à l'ouverture des guichets, explique-t-elle. Comme ça on ne fera pas la queue et on aura tout le temps. Et donc on ne sera pas stressés !

Pas de chance : quand ils arrivent au château, il y a déjà une longue file d'attente, car d'autres PetShop ont fait comme eux.

— On aurait dû se lever encore plus tôt ! gémit Émilie. Demain, il faut qu'on arrive avant les autres !

La visite du château est très intéressante… même si Émilie parcourt les couloirs et les pièces à tire-d'aile pour être sûre d'avoir le temps de tout voir. À midi, la visite est terminée, mais l'après-midi, la papillonne a prévu un autre château.

— On emporte un sandwich sur la route pour ne pas perdre de temps ? propose-t-elle.

Cette fois-ci, David sort un peu les griffes. Il en a plein les pattes ! Il a au moins envie de s'asseoir tranquillement pour déjeuner.

— Sinon, tu fais ta visite toute seule ! grogne-t-il. Ce sont des vacances, pas un marathon !

Comprenant que son fiancé est prêt à craquer, Émilie s'incline de mauvaise grâce. Mais elle est incapable de se détendre ! Tout au long du repas, elle passe son temps à regarder sa montre, à bouillir parce que le service est trop long, bref à stresser tous les serveurs autour d'elle, et David le premier !

— On est en retard sur notre programme ! se plaint-elle au moment où ils sortent du restaurant.

— Et quel est le problème ? soupire David. Tu as un train à prendre ?

La papillonne ne répond rien, mais tout l'après-midi, elle continue son programme à tire-d'aile. Le soir, David est vraiment exténué. Par contre, Émilie est enchantée : ils ont parfaitement respecté leur programme !

— On a déjà fait deux châteaux ! triomphe-t-elle en rayant les deux premiers noms sur sa liste.

David ouvre des yeux ronds : Émilie a aussi fait une liste des châteaux à visiter !

Le lendemain, même programme... ou presque : la papillonne réveille cette fois son chat à six heures du matin !

— Mais tu veux ma peau ! miaule-t-il.

— Tu verras que tu seras content qu'on se soit levés tôt. On sera les premiers et on aura tout notre temps pour déjeuner.

Et en effet, non seulement, ils ont tout leur temps pour déjeuner, mais ils ont aussi le temps de visiter un troisième château…

Au bout de trois jours de ce régime intensif, David est encore plus fatigué qu'avant de partir. C'est bien simple, quand ils reviennent le soir, il ne peut rien faire d'autre que de s'effondrer sur son matelas pneumatique.

Le matin du quatrième jour de « vacances », quand Émilie réveille son chat avec une tasse de café, David refuse de bouger.

— Vas-y toute seule, moi je dors ! grogne-t-il avant de se retourner de l'autre côté.

Émilie insiste, papillonne tout ce qu'elle peut, réussit même presque à miauler, mais rien à faire, David refuse de se lever. Furieuse, la papillonne tourne la trompe et s'en va.

Vers le milieu de l'après-midi, elle a déjà visité ses trois châteaux. Elle aurait le temps d'en visiter un quatrième, mais sans David, le cœur n'y est pas. Finalement, elle décide de rentrer au camping.

— David ! appelle-t-elle en arrivant près de la tente. David ?

Elle a beau voleter partout, la tente est vide. Soudain, elle aperçoit sur la table de camping un petit paquet et un mot. Le cœur de la papillonne se crispe. Et si David était parti ? Ses ailes tremblent quand elle déplie le mot.

Quel soulagement ! David lui dit seulement qu'il est allé à la plage et que ce petit cadeau est pour elle.

Émilie prend le paquet et l'ouvre. C'est un livre intitulé : « Devenez un champion de la sieste ». Intriguée, elle s'installe dans la chaise longue et se met à lire. Elle apprend ainsi que la sieste tenait une place importante dans la vie de leurs arrière-PetShop et que les Égyptiens et les Romains invitaient même leurs amis pour faire la sieste. Elle lit aussi que des PetShop très célèbres comme NapoléoShop n'auraient jamais raté leur sieste et même que les découvertes les plus importantes ont été conçues pendant la sieste, comme la machine à lancer des tomates pourries, l'arrosoir pour arroseurs arrosés ou encore le casque à écouter ses pensées intérieures !

Déjà très impressionnée, Émilie tombe alors sur ces lignes : « Le temps passé à faire la sieste n'est pas perdu mais gagné. On est plus efficace, plus performant, on a moins besoin de dormir pendant la nuit. En une semaine, on gagne une journée ! »

— Ça alors ! s'écrie la papillonne. Moi aussi je veux devenir une championne de la sieste !

Aussitôt dit, aussitôt fait. Elle va au chapitre destiné aux papillons et lit attentivement la méthode. Il faut s'installer dans un endroit confortable et silencieux, placer un petit coussin sous les antennes, se mettre à respirer lentement avec sa trompe, et sentir tout son corps devenir chaud et lourd, en particulier les ailes.

Au bout de cinq minutes, Émilie dort paisiblement. Vingt minutes après, elle se réveille spontanément, en pleine forme, comme elle ne l'avait pas été depuis longtemps ! Elle aperçoit alors David qui revient de la plage.

— Mon minou ! Tu m'as manqué ! Merci pour ton livre... Je viens de l'essayer...

Le chat sourit tendrement :

— As-tu vu qu'il existait plusieurs types de siestes ? La sieste au soleil pour bénéficier des rayons solaires, la sieste marine en faisant la planche sur l'eau et... la sieste en amoureux !

— Et si on essayait la sieste en amoureux ? propose Émilie.

Blottis l'un contre l'autre, les deux PetShop se reposent pendant le reste de l'après-midi, l'aile dans la patte.

— Je te propose d'arrêter la

visite des châteaux, décide Émilie au réveil. Je crois que je préfère la sieste. Qu'en dis-tu ?

— J'en dis que je suis d'accord ! répond le chat en ronronnant.

Au fil des jours, Émilie est de plus en plus détendue et en plus, les idées reviennent ! Un jour, elle a une illumination : et s'ils s'associaient tous les deux pour faire de la confiture en confettis ? Mais la papillonne a la sagesse d'attendre la fin des vacances pour mettre son projet à exécution. Et vous savez quoi ? Une fois de retour au bureau, elle note un nouveau rendez-vous quotidien sur son agenda : *13 h 30 : sieste* !

Nathan

Ce jour-là, Nathan est en train de lire tranquillement une bande dessinée dans sa chambre, quand une petite lapine rose entre d'un bond, ses longues oreilles dressées droit sur sa tête. C'est Nathalie, sa petite sœur, qui est trois fois plus grande que lui :

— Nathan, voleur ! Tu as pris mes écouteurs !

Nathan hausse les épaules.

— Ils étaient où tes écouteurs ?

— Sur l'étagère du salon, tout en haut, pour qu'on ne me les prenne pas ! Il n'y a que toi et moi à la maison et je sais très bien que tu as perdu les tiens. Rends-les-moi, voleur !

Le hamster fusille sa sœur du regard :

— Ah oui ? Et comment j'aurais fait ? En montant sur des échasses à ressort ?

La lapine pointe ses oreilles vers son frère d'un geste accusateur :

— En bondissant ! Ne mens pas,

je t'ai déjà vu sauter très haut quand on joue à saute-mouton avec Tristan.

— Tu veux bien arrêter de te moquer de moi ? couine Nathan. Tu n'as pas remarqué que j'étais aussi grand qu'un nain de jardin ?

Et soudain, il craque.

— Tout le monde est grand dans cette famille, sauf moi !

Très ennuyée, la petite lapine bondit sur le lit et serre son grand frère dans ses pattes.

— Mais tu n'es pas petit, tu es normal !

— Non, je ne suis pas normal ! gémit Nathan. Si j'étais normal,

Clara ne mettrait pas mes pulls : c'est une coccinelle !

Nat ne sait pas quoi répondre. Leur père est un dromadaire, leur mère une autruche, et forcément, ils sont tous grands dans la famille. Sauf Nathan. Et pas seulement parce que c'est un hamster. La preuve, Clara la coccinelle est aussi grande que lui. Chez les PetShop, en effet, on trouve aussi bien des petites girafes que des grandes souris et d'ailleurs leurs frères Tristan le mouton et Manuel le caniche ont la même taille. Mais on trouve plus rarement, c'est vrai, des hamsters géants ou des mini baleines...

Nathalie caresse la joue de son grand frère avec sa patte :

— Tout ce qui est petit est gentil, tu le sais ?

C'est exactement ce qu'il ne fallait pas dire à Nathan.

— Non, je ne suis pas gentil ! s'énerve-t-il. Et tu sais quoi … ?

Et *paf*, il lui flanque une grande tape de la patte !

— Voilà, tu sauras maintenant que tout ce qui est petit n'est pas gentil !

Poussant un hurlement strident, Nathalie se met à pleurer en appelant sa mère. Évidemment, il ne faut pas plus de trente secondes pour que la tête de l'autruche passe par la porte :

— Ne me dis pas que tu as frappé ta petite sœur ?!

— Ma petite sœur, façon de parler ! Elle est plus grande que moi !

La maman des deux PetShop soupire. Inutile de faire l'autruche, elle sait bien que son fils a un problème de taille dans la vie, c'est le moins que l'on puisse dire… Mais elle, elle sait bien que tout ça c'est dans sa tête. Son fils est peut-être petit par la taille, mais grand par l'intelligence !

— Va m'attendre dans le salon, je console ta sœur et j'arrive. Il faut que je te parle.

Cinq minutes plus tard, la petite Nat serrée contre ses plumes, l'autruche s'assoit dans le fauteuil en face de Nathan. Le hamster en soupire d'avance. Il sait exactement ce que sa mère va lui dire : elle va encore lui énumérer tous les avantages qu'il y a à être un petit PetShop : on passe partout, on ne se cogne jamais au plafond, on est le dernier à être découvert quand on joue à cache-cache, on tombe de moins haut en cas de chute et surtout, on est mouillé par la pluie après les autres...

Et évidemment, inutile de lui répondre par la liste des inconvénients : l'autruche a réponse à tout. Sans même parler du plus gros inconvénient de tous, dont il ne peut absolument rien dire à sa mère : son problème avec les filles. Elles veulent toutes des PetShop plus grands qu'elles, même les toutes petites ! Il en a entendu une qui se plaignait carrément de ne pas pouvoir porter de talons avec un PetShop pas très grand !

— Nathan, commence-t-elle, tu n'es pas aussi petit que tu le crois.

— Ah bon ? couine Nathan, un sourire ironique sur le museau.

— Oui, j'ai entendu dans un reportage qu'il fallait se mesurer le matin. Le matin, on mesure sa vraie taille. Après, on se tasse. Je pense que tu dois faire un ou deux centimètres de plus que ce que tu crois.

— N'importe quoi !

— Essaie…

Pour faire plaisir à sa mère et surtout pour échapper à sa leçon de morale, Nathan se mesure. Quelle surprise ! Elle dit vrai ! Il fait 1,6541 cm de plus que d'habitude.

Le hamster sourit jusqu'au bout de ses petites oreilles.

— Peut-être que j'ai grandi pour de bon ! s'écrie-t-il, plein d'espoir.

— Peut-être, lui dit sa mère.

— Moi, je te trouve grandi, ajoute gentiment Nathalie.

Tout attendri, Nathan embrasse sa petite sœur.

— C'est l'anniversaire de mon copain Léo ce soir ! annonce-t-il, tout ragaillardi. J'hésitais à sortir, mais je vais peut-être y aller finalement…

Le soir venu, après s'être mesuré plusieurs fois en constatant à son plus grand bonheur qu'il n'a même pas rapetissé, Nathan se prépare pour la fête. Pour paraître plus grand, il s'habille tout en noir, parce que le noir mincit et que la minceur grandit. Sans oublier ses bottines à talonnettes, évidemment…

La musique bat son plein quand le hamster arrive. Tout le monde danse… sauf une fille. Nathan la repère immédiatement. C'est une petite oie blanche avec un fichu rouge sur la tête, qui semble très timide, toute seule dans son coin. Elle n'est pas habillée à la dernière mode et c'est peut-être pour cela qu'on ne l'invite pas. Tout attendri par cette mignonne oie triste et solitaire, Nathan s'approche :

— Bonjour, moi c'est Nathan. Tu veux danser ?

L'oie ouvre le bec, surprise. Elle le referme, gonfle le cou, puis toise le hamster de haut en bas et caquette alors d'un ton goguenard :

— Mais tu es tout petit !

Sous l'insulte, le hamster a les poils qui se hérissent. Incapable de répondre, il recule lentement. C'est alors qu'un autre PetShop s'interpose : une immense girafe.

— Ce PetShop a peut-être une petite taille, dit-il à l'oie en abaissant son long cou jusqu'à elle, mais il tombe de moins haut que toi quand il dit des sottises !

Très vexée, l'oie tourne le bec et s'en va.

— Moi, c'est Tonny ! se présente la girafe en tournant la tête vers le hamster.

— Moi, c'est Nathan. Merci, Tonny. Dis donc, s'exclame-t-il en se tordant le cou pour voir la girafe jusqu'en haut, tu es vraiment grand !

— Ne m'en parle pas ! répond Tonny en soupirant. Je me sens bien seul là-haut et je ne te dis pas la galère pour faire la bise aux filles ! Je vais te dire, mon pote, je suis basketteur, et même au basket, ce n'est pas un avantage d'être si grand. Figure-toi que je me déplace beaucoup plus lentement que ceux qui sont plus petits. Et si je tombe, il faut presque une grue pour me relever ! Et puis d'abord, ce n'est même pas drôle de toucher le panier avec le bout de mes pattes, c'est trop facile…

Nathan hoche la tête. Tonny dit sans doute vrai. N'empêche, il aimerait bien échanger les inconvénients d'être grand contre ceux d'être petit. Être basketteur, ce serait son rêve !

Il va répondre à la girafe quand, soudain, un furet complètement excité passe entre eux en les bousculant. Il a piqué son fichu à l'oie !

— Attrape ! crie-t-il à Tonny.

Un peu étonnée, la girafe réceptionne l'objet.

— À toi ! crie-t-il à Nathan.

Bondissant sur ses deux pattes arrière, le hamster reçoit au vol la boule de tissu. Puis, voyant l'oie qui arrive en caquetant de colère, il pique un sprint, saute par-dessus un fauteuil et, dans un bond extraordinaire, lance le foulard sur une étagère à deux mètres au-dessus de lui. Pendant une fraction de

seconde, le hams-
ter réalise que,
s'il l'avait voulu, il
aurait très bien pu
attraper les écouteurs de sa petite
sœur…

— Mon fichu ! cacarde l'oie en
volant vers Nathan. Rends-le-moi !

— Aïe ! hurle Nathan. Elle m'a
pincé les fesses !

— Ce n'est pas bien de s'atta-
quer à plus petit que soi ! s'esclaffe
Tonny.

Il récupère le carré de tissu sur
l'étagère et leur petit jeu reprend.
L'air de rien, le joueur de basket
observe Nathan. Il est sidéré. Ce
hamster a une détente incroyable et
il pique des sprints époustouflants :

ce sont deux qualités essentielles pour un basketteur !

Au bout d'un moment, Nathan trouve que ce n'est pas très gentil de faire tourner l'oie en bourrique et, dès qu'il a le fichu entre les pattes, il le lui rend.

— Je suis désolé, il est un peu chiffonné…

L'oie prend son foulard et se le remet sur la tête :

— Désolée de t'avoir traité de petit, s'excuse-t-elle à son tour. Tu n'es pas si petit que ça. Je m'appelle Suzy. Heu, tu veux encore danser ?

Quand le hamster rentre chez lui après la fête, il a presque l'impression que des ailes lui ont poussé. Il a passé la meilleure soirée de sa vie : il s'est fait une copine et un copain !

Le lendemain, Nathan est en train de lire une BD sur son lit, comme d'habitude, quand la sonnette retentit. C'est Tonny ! Il porte un grand sac.

— Tiens, c'est pour toi !

À son grand étonnement, le hamster sort du sac des chaussures de basket, un ballon et un panier.

— Tu te moques de moi ?

— Pas du tout ! Je t'ai vu à l'œuvre, je suis sûr que tu peux devenir basketteur.

— N'importe quoi !

— Allez, j'installe le panier et on s'entraîne…

Au début, Nathan rate tous ses

paniers mais dès qu'il a le ballon bien en pattes, il marque presque aussi souvent que Tonny.

— Tu vois ? triomphe la girafe.

Nathan sourit jusqu'aux oreilles. Une fois Tonny parti, il continue à s'entraîner. Le lendemain, la girafe revient suivre l'entraînement de son ami. Bientôt, non seulement le hamster met à tous les coups les paniers, mais il dribble aussi comme un chef, avec des changements de direction au quart de tour !

— Bon, lui dit Tonny un beau jour, je crois que tu es prêt !

— Prêt à quoi ? interroge Nathan en ouvrant de grands yeux.

— Prêt à venir faire un essai

sur le terrain. Je te l'avais dit : un de nos joueurs est parti, il y a une place à prendre.

— Mais ils vont se moquer de moi !

— Ils ne riront pas longtemps.

Comme le craignait Nathan, les autres joueurs ont un sourire en coin en voyant arriver ce hamster grand comme trois pommes assises. Tous sont taillés pour le basket, aussi bien l'araignée, que le papillon, la grenouille, le ver de terre, la cigogne, la grue, le singe, le flamant rose et bien sûr Tonny. Stéphane, l'entraîneur, un ours un peu mal léché, regarde Tonny comme s'il était devenu fou de leur amener cette recrue…

— Bon, on joue ? lance la girafe, agacée. Vous ferez vos commentaires après. Aie confiance, soufflet-il à Nathan.

Pendant les premières minutes, tout va mal pour le hamster. À l'exception de Tonny, les autres joueurs ne lui passent jamais le ballon. L'araignée lui fait même un croc-en-patte et le papillon le fait tomber d'un coup d'aile. L'entraîneur, lui, ne siffle même pas la faute.

Mais soudain, cette injustice donne vraiment l'envie à Nathan de relever le défi. En quelques instants, il reprend du poil de la bête et, dans un sursaut d'énergie, il récupère la balle et la met au fond du panier ! À partir de cet instant, c'est le hamster qui mène le jeu...

Résultat du match : 83 à 32 pour l'équipe de Nathan...

— Bienvenue au club ! lui dit l'entraîneur en lui tendant la patte. Nous avons un match la semaine prochaine, tu es des nôtres, j'espère ?

Nathan accepte avec joie et, grâce à lui, son équipe gagne haut la patte ! Dès que le signal de fin de partie retentit, les ovations s'élèvent et les spectateurs comme les joueurs scandent le nom de Nathan. Suzy se précipite sur le terrain pour l'embrasser, mais l'oie a des rivales ! De nombreuses PetShop plus ravissantes les unes que les autres viennent aussi le féliciter.

— Bas les pattes ! siffle l'oie. C'est mon fiancé.

Les deux amoureux se serrent l'un contre l'autre pour être photographiés. Nathan n'essaie même plus de se mettre sur le bout des pattes pour se grandir. Et vous savez quoi ? À force de jouer au basket, il gagne rapidement quelques centimètres !

FIN

La prochaine aventure des PetShop est en Bibliothèque Rose, bien sûr !

tome 11 : Léo cherche de nouveaux amis

Pour tout connaître sur ta série préférée, va sur le site :
www.bibliotheque-rose.fr

Les PetShop ont toujours des

tome 1 :
Charlie est jaloux

tome 2 :
Basile est complexé

tome 3 :
Gustave regarde
trop la télé

tome 4 :
Valentine est amoureuse

tome 5 :
Jules fait son chef

tonnes d'histoires à te raconter !

tome 6 :
Lucie a un admirateur secret

tome 7 :
Anne est paresseuse

tome 8 :
Romain s'ennuie

tome 9 :
Clémence ment tout
le temps

Comment est-ce que tu imagines ton PetShop ?

C'est plutôt un chat ou une lapine ?
Est-ce qu'il a des plumes ou des poils ?
Et ses oreilles, est-ce qu'elles sont comme celles de Valentine
la biche ou comme celles de Nathan le hamster ?
Sur cette page, tu peux décrire le PetShop de tes rêves...
N'oublie pas de lui donner un prénom !

Maintenant que tu as décrit en détail
ton PetShop, tu peux le dessiner dans ton livre.
Il y a de la place juste ici !

Table

« Pour l'éditeur, le principe est d'utiliser des papiers composés de fibres naturelles, renouvelables, recyclables et fabriquées à partir de bois issus de forêts qui adoptent un système d'aménagement durable. En outre, l'éditeur attend de ses fournisseurs de papier qu'ils s'inscrivent dans une démarche de certification environnementale reconnue. »

Photogravure **Nord compo** – Villeneuve d'Ascq

Imprimé en Roumanie par G.Canale & C. S.A
Dépôt légal : juin 2012
Achevé d'imprimer : juin 2012
20.20.3043.5/01– ISBN 978-2-01-203043-5
Loi n°49-956 du 16 juillet 1949
sur les publications destinées à la jeunesse